U0143670

蒙學善本

國家圖書館藏・蒙學善本

書言故事大全

第九册

鳳凰出版社

金門待漏

調和鼎鼐

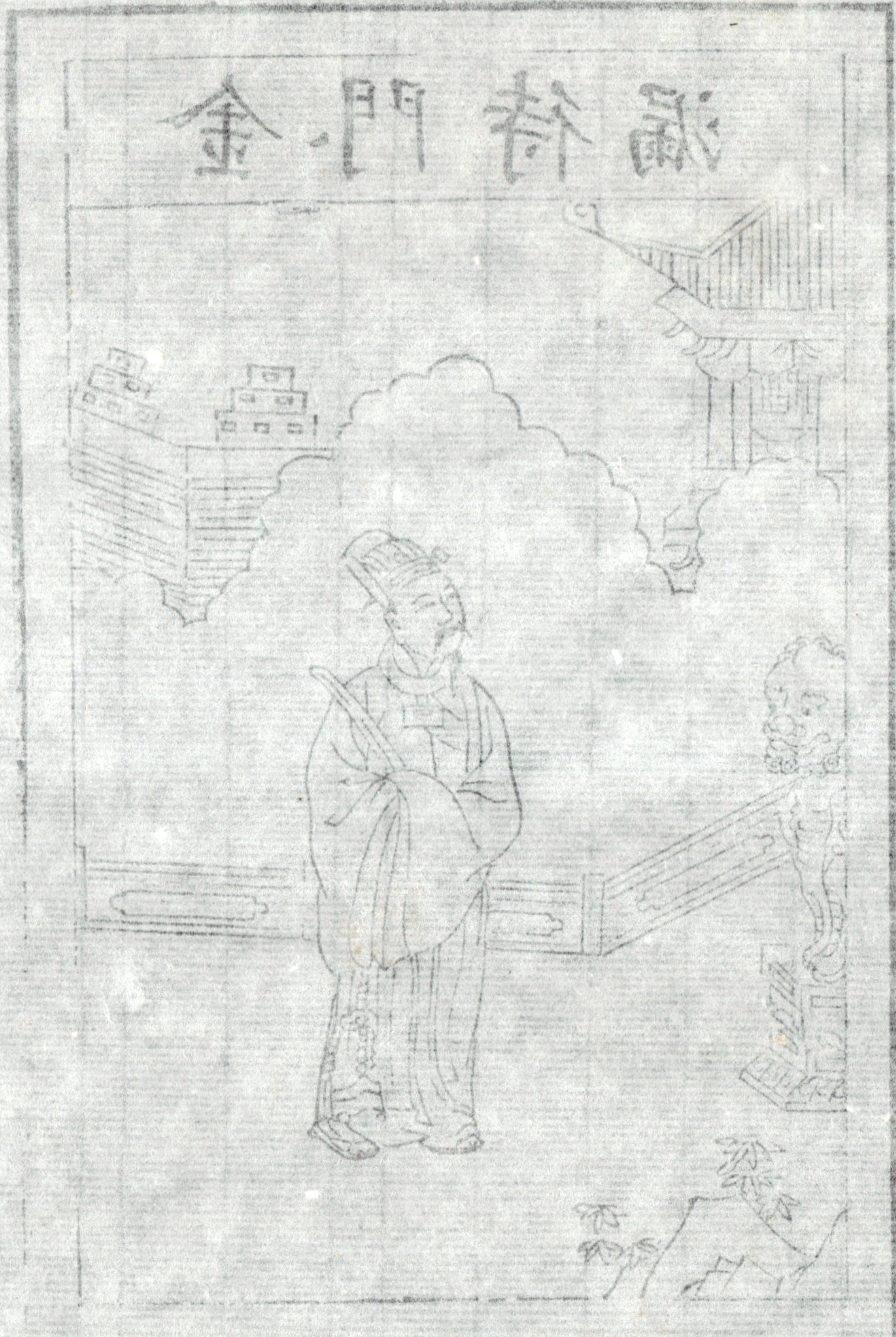

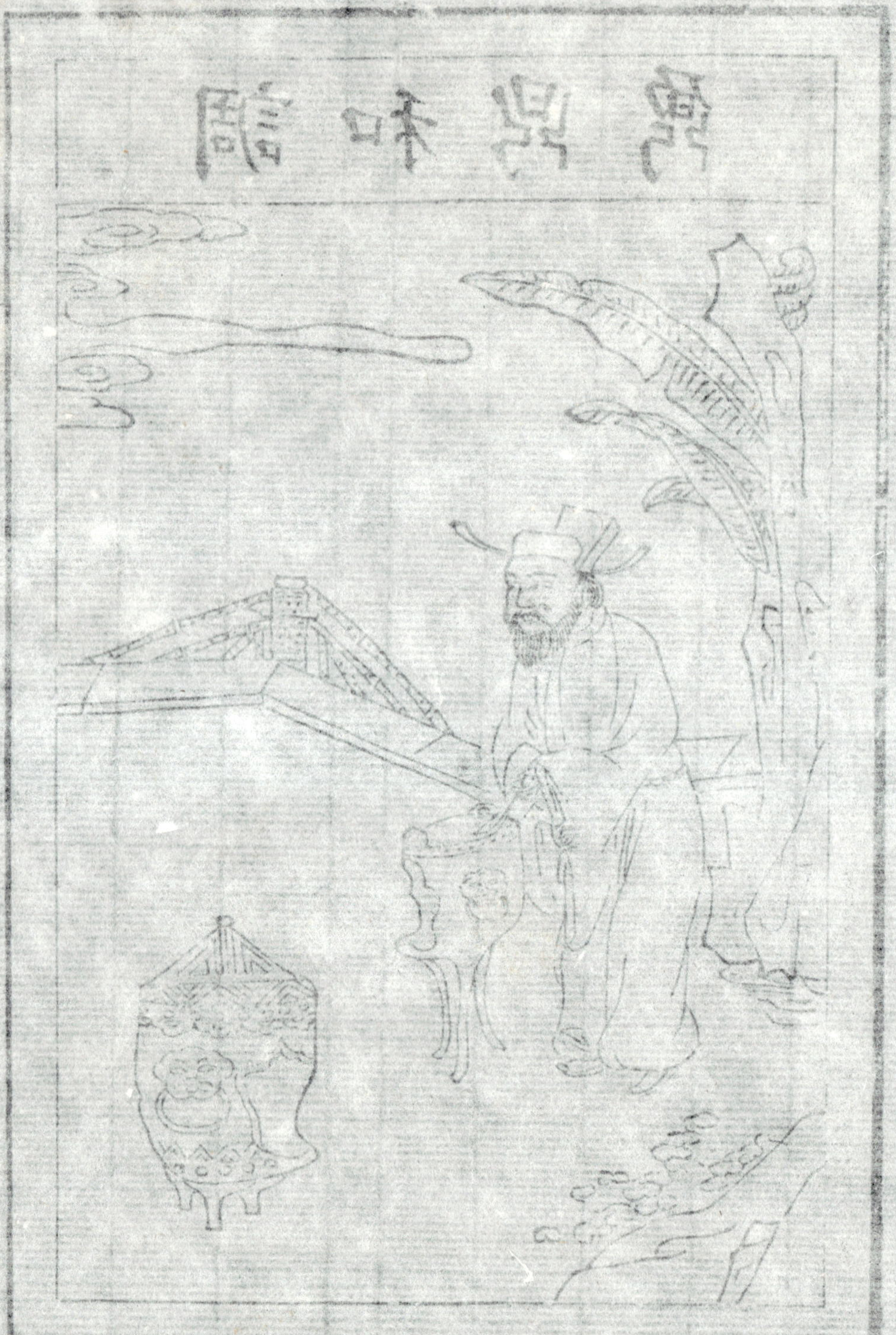

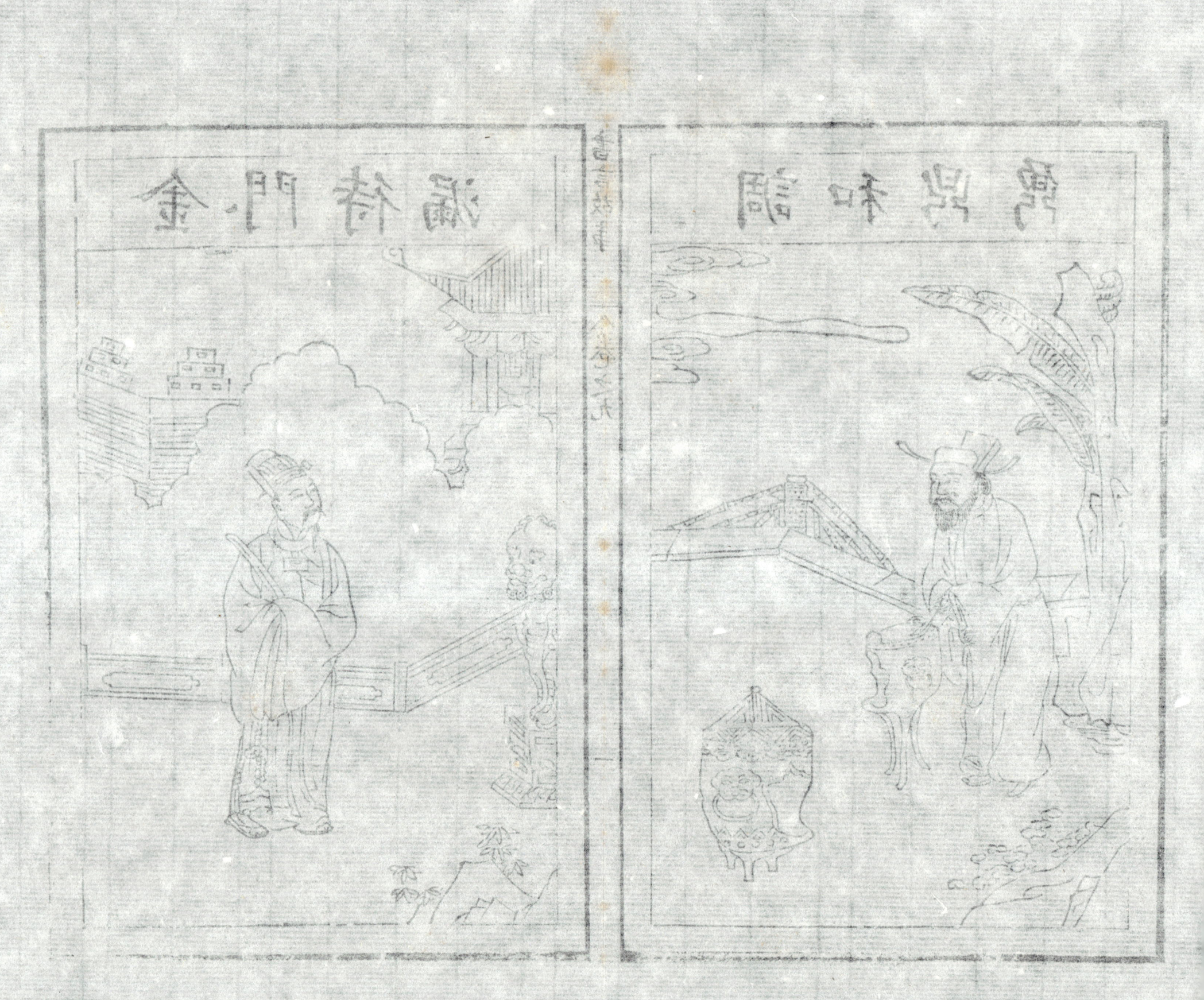

書言故事大全卷之九

廬陵　胡繼宗　集

安成　陳玩直　解

○朝制類

紫宸　朝廷前殿曰紫宸（職官分紀）施敬本上疏曰紫宸殿者。漢之前殿。周之路寢（路寢制如明堂以聽政人君所居皆曰路寢）陛下所以負黼扆（音甫倚○黼斧也。天子坐則黼扆在後。如背負之也黼扆制如屏風。畫斧而無柄設而不用之義）居黃屋（漢書注）天子車上以黃繒為蓋為裹（晉輿服制）青蓋黃裹）饗萬國（饗與享同嚮也。萬国之歸向也）受朝諸侯（天子設朝而會

於諸侯三年一朝曰述職）人臣致敬之所（紫宸殿也）

黼依黼扆（依與扆義同）（斧依）周禮（春官宗伯）司几筵（司。執掌也。几。所憑以為安者。筵鋪於地以為位者）凡大朝覲大饗射（大朝覲謂非四時常朝也。大饗謂王與諸侯行享礼於庙也大射謂王將祭祀擇士而射也）凡封國命諸侯（謂王之公卿出封加一等也）王位設黼依（依之制如屏風設黼于其上蓋以白黑文為斧形也）依前南鄉（去声下同○取向明之義）左右玉几（以玉飾几設於左右）（記）明堂位（篇名○周公攝政朝諸侯於明堂成王以周公有大勳勞於天下使魯祀周公以天子之礼樂故木以名篇）昔者周公朝諸侯於明堂之位（聖人嚮明而治故其堂曰明堂。周公攝政故朝。諸侯于其位也）天子負黼依南嚮而立

周公而曰天子以朝諸侯之事。主於天子也。扆所以依也。黼以斧形以可依而立。故曰負（三禮圖云）畫斧無柄。設而不用之義取金斧斷割之義

丹墀 殿階曰丹墀（龍墀彤墀）百官志尚書郎奏事明光殿漢武建明光宮以胡粉塗壁畫古賢烈士以丹朱漆地謂之丹墀夏英公竦松上戶○夏竦字子喬江州人廷試羅題詩夏竦令制科對策廷下有老官者以吳綾手巾乞題詩夏竦題下文詩云殿上衮衣明日月衮衣天子之服其上有日月硯中旗影動龍蛇縱橫禮樂三千字獨對丹墀日未斜

青瑣 宮禁門有青瑣之飾（青瑣闥）他昌切○闥門內也。飛闥突出方木

（漢）給事日暮入對青瑣門拜謂之夕郎給事官名（漢書）掌左右顧問應對以有事殿中故曰給事中歷代多有之元朝史官曰給事中青瑣以青塗戶邊鏤音屬中鏤劉鉄也天子制也刻為青瑣文杜贍張太常通籍踰青瑣通籍名懸於門乃通出入禁門籍者以三尺竹牒記其年紀名字物色懸宮門按省相應乃得入也（范彥龍詩）攝官青瑣闥遙望鳳凰池

鳳闕觚稜 觚音孤稜盧能切（班固西都）後漢班固作西都賦設壁門之鳳闕上觚稜而棲金爵觚稜帝闕之角也角上棲爵故曰觚稜壁門建昌宮正門曰閶門。亦曰壁門飾門用璧玉

北闕 漢高帝紀蕭何治未央宮立東闕北闕前殿（治理也。未央宮雖南向而上奏事謁見之徒皆詣北闕是以北闕為正門）

魏闕象闕 周禮天官（吏部官）縣（懸同）治象之法于象魏（象魏闕也。周之正月朔日大宰。布王治之事於天下乃書而懸于象魏挾木鐸以狗之使萬民觀焉凡十日而收之）杜詩象闕憲章新（讓王篇）身在江湖之上心居魏闕之下（魏闕見下文）韓詩魏闕橫雲漢（魏闕者謂雉門之外兩觀闕高高巍、然故曰魏闕）

金馬門 三輔黃圖（前漢都長安以京兆馮羽扶風為三輔此書備載前漢宮室林苑）金馬門宦者署在未央宮（宦者署署官舍）武帝得大宛（音冤）馬以銅鑄象立於署門因以為名（大宛西南夷國名）東方（覆姓）朔主父（音甫）偃嚴安徐樂皆待詔金馬門即此

金門（金馬門也）謝朓出尚（音常）省（生上声口謝朓字敬冲。十歲屬文梁初為尚書令）既通金闕籍（言已通籍於金馬門通籍之義。已見此類前青瑣之下）江淹別賦金闕之諸彥（言金馬門諸待詔皆彥秀者）

通籍 三輔黃圖（注見前）漢宮中謂之禁中門各有禁非侍衛通籍之臣不敢妄入（通籍之義已見此類前青瑣之下）

金鋪璧璫（音當）三輔黃圖未央宮前殿金鋪玉戶（金鋪扉上有金花花中作獸龍蛇銜首以銜環也。以玉作戶）華榱（音衰）璧璫（榱椽桷也。以玉鋪之）

三殿黃圖

金鑾寶鑒

直蘇

金圖

金吾門

駄國衆圖

而華美故曰華榱璧璫三輔黃圖注云以璧玉飾瓦之璫也

行在 天子所至處曰行在所（蔡邕獨斷）決也天子以天下為家不以京師宮室居處為常則當乘車輿以行天下車輿所至去處皆曰行在車輿所至之處及奏事之處故皆曰行在漢武帝舉獨行音幸之君子徵詣行在所獨行德行獨出眾者也

乘輿 御駕曰乘輿蔡邕曰天子至尊臣下不敢渫音屑瀆言之故託乘輿以言。乘猶載也。輿猶車也。故稱天子曰乘輿。或曰車駕又稱天子為車駕

鸞輿 御駕曰鸞輿（西都賦）乘鸞輿備法駕（上林賦）司馬相如作乘法駕鳴玉（鸞輿服志）車有和鸞和鈴鸞鈴以正威儀行舒疾舒。緩也疾。急也鸞在衡衡橫木。車得其平也和在軾軾車前賦也

黃屋 （漢）高祖紀車設黃屋左纛音導○黃屋見下文。左纛幢也。以犛牛尾為之大如斗在車乘輿左方故曰左纛（晉）輿服志五輅並天子法駕五輅王之五輅玉輅以祀金輅以賓同姓以封象輅朝異姓以封革輅。以即戎以封四衛木輅以田以封當國○王后之五輅。重翟厭翟安車輦車青蓋黃裏謂之黃屋

清道 （周禮）註天子行在所至清道以虞非常以虞慶不常之

變也黃圖謂天子當出先令道路掃洒清凈

凈室（黃圖）天子行在所至必遣凈室令去声按行清凈殿中以虞非常

警蹕音謹畢御駕出入警蹕止行周禮天官冢宰篇宮正掌凡邦之事蹕正長也。宮正主宮中官之長。上士二人。中士四人。下士八人。府二人。史四人。胥四人。徒四十人。○鄭玄曰。掌凡邦國有事。正當出則宮止。主禁絕行者。若今時衛士填衛蹕也（唐）太宗即位數音朔馳射孫伏伽諫曰天子禁衛九重言天子至尊。禁謹護衛於九重之內不可數馳射也出也警入也蹕警戒肅也。蹕所以清道止行人也。言出入者省文也

駐蹕御駕所止曰駐蹕（唐）太宗既克遼東至安市城自將步騎去声登北山。敗高麗兵高麗國名更名所幸山曰駐蹕山

僥倖車駕所至地曰僥倖蔡邕獨斷曰。天子所至曰幸者宜幸也世俗謂幸為僥音僑倖僥倖謂所不當得而得者車駕所至臣民被其德澤以僥倖故曰幸

山呼臣民呼萬歲曰山呼（漢）武帝用事華花同山。至中嶽親登崇嵩華山西岳也在華州山頂有千葉蓮因名花山中岳即嵩嵩在洛御史乘音成屬音燭在廟旁乘屬如淳曰漢官儀注御史亦有屬車晉灼曰天子出御

史二人乘屬車護法駕吏卒咸聞呼萬歲者三此與前第一卷聖壽類萬歲同

○三省類

中書省生上声門下省尚書省

鳳凰池中書謂鳳凰池晉書自魏及晉中書監令掌贊詔命記會時事典作文書以地在禁近承鈞持衡鈞衡詳見下宰相類多承寵任去声是以人固其位固者以承寵而堅固執政不敢怠以守其位也怠晉荀勖為中書。監除尚書令人賀之荀曰。奪我鳳凰池諸君何賀耶

紫薇省中書謂紫薇省唐開元中開元玄宗年號改中書曰

紫薇省。中書令曰。紫薇令中書舍人亦曰。紫薇郎

西掖音亦中書稱西掖劉公幹詩誰謂相去遠隔此西掖垣掖與肘腋之腋同宮旁舍曰掖庭門旁小門曰掖門殿旁垣曰掖垣皆取肘腋之義前世文士。以中書在右謂為右曹。又稱西掖

黃門省門下省曰黃門省唐高宗改門下省曰東臺武后。改曰。鸞臺天寶初又曰黃門省天寶玄宗年號

畫省音帝尚書省曰畫省漢官典職曰尚書省以胡粉塗壁畫古賢烈士故曰畫省

○宰相類

○宰相類

臺省 古賢與士族曰臺省

尚書省 宰者曰臺省（漢）尚書職曰尚書省以總會臺

都省 故曰臺臺天寶初又曰黃門省 宋大寶年

黃門省 門下省曰黃門省（唐）高宗改門下省曰東臺

此文士以中書在右謂之右曹又稱西掖

掖垣 門掖曰掖垣門與左掖門殿之旁曰掖垣

西掖 中書稱西掖（劉）公幹詩謂相志遠隨西

紫微 省中書令曰紫微令中書舍人亦曰紫微郎

書言故事 入奏文丸

紫薇省 中書謂紫微省（唐）開元中改中書曰

賀之 荀曰奪我鳳凰池諸君何賀邪

以國中執其相以中書（晉）荀勖為中書監除尚書令人

樞要 下卽宰衛機務以入國其位

贊命 言絲綸會符與作文書以施在禁中東掖

鳳凰池 中書謂鳳凰池（晉）書自魏及晉中書監令掌

門下省尚書省

○三省

宰相三人 　 東平成國集萬藏卷三

鈞衡 宰相秉鈞持衡鈞均也。衡平也。宰相秉國之政得其均平書太甲上商史録伊尹告戒節次及太甲往復之辭三篇相屬成文惟嗣王不惠于阿衡惠。順也。阿倚衡平也。阿衡商之官名。言天下之所倚平也。亦曰保衡。或曰伊尹之號。史氏録伊尹之書先此以發之。下又伊尹作書云云。○標題云嗣王指太甲言太甲不順乎阿衡之言也。伊尹時為冢宰尊之曰阿衡言為人君所倚。以取平者也。詩節南山篇名尹氏大師秉國之均言尹氏大師仰秉國之均則是宜有以維持四方翼輔天子而使民不迷乃其職也晉書中書地在禁近秉鈞持衡多承寵任唐德宗贈馬燧音遂台衡銘馬燧字詢美唐功臣封北平王謚莊武德宗賜宸扆台衡二名以言君臣相感之美。台衡者天有三台星為三公之象。衡如秤之衡所以取平書稱伊尹阿衡是也

以翼音亦以弼音疋○翼者。輔助也。敬也。弼者輔弼也正也。為宰相當主敬而輔佐天子也為鈞為衡詳見下文

揆 音饋常稱宰相為揆。舜相堯。舜典曰舜典書篇名納于百揆揆，度也。百揆者揆度庶正之官。惟唐虞有之猶周之冢宰也。○標題云。謂納之於宰相之職而揆度百官之事百揆時叙時叙以時而叙左氏所謂無廢事也。○標題云言百官事一時皆得其次序。而無廢事也。禹相舜。舜典曰。使宅百揆舜言有能奮起事功以廣帝堯之事者。使居百揆之位。以明亮庶事而順成庶類也

三台 三公象應去声三台元命苞春秋緯書魁下六星魁下言北斗魁星之下有六星兩兩相比音被並也曰三台星三台者有上台中台下台

每台兩星形如雙目故曰兩兩相比。疊爲三級故曰三台 漢律歷志 魁下三能音台 白氏六帖 三台星三公之象 太師太傅太保爲三公

調鼎 杜上韋丞相 調和鼎鼐音柰新 鼐大鼎也。調和鼎鼐方新。猶和羹方資於鹽梅也。又詳見下文

書 說命下篇 高宗夢傅說音悅立作相。去声高宗發武丁中興號高宗未興之際。將所夢之人畫其形象遣使訪求之傳說板築于傅岩之野與所畫之形相似請至于朝遂立爲相命之曰 孔氏曰高宗爲王子時其父小乙欲其知民之艱苦故使居民間也。既立說爲相高宗言我小子舊學于甘盤已而退于荒野後又入居于河自河徂毫遷他不常歷叙其廢學之因而嘆其學終無所顯明也於是使說教誨於已也(釋注)甘盤臣名也 若作和羹爾惟鹽梅 范氏曰。羹非鹽梅不和。人君雖有美質必得賢人輔

導乃能成德作美者。鹽過則鹹。梅過則酸。鹽梅得中然後成美臣之於君當以柔濟剛可濟否左右規正以成其德故曰。爾無我棄我能有爾之言

金甌覆名 覆扶救切 唐 玄宗每命相皆先書其名。一日書崔琳等名覆以金甌 覆盖也 會太子入 太子肅宗也 謂曰此宰相名若自意之誰乎 若汝也。汝言中賜卮酒 太子曰非崔琳盧從願乎帝曰然時兩人有宰相望 當時兩人已有宰相名望 卒大用 卒用爲相

紗籠中人 唐 李藩未任時有僧曰公是紗籠中人問其故 藩問 曰 僧答 凡宰相冥司必立其像。以紗籠護之

後果至台輔

黃閣 六帖 漢官儀丞相聽事門曰黃閣 職官分紀 陳

舊制三公黃閣廳事置鴟尾

沙堤 唐李德裕為相羅京兆築沙堤 國史補 唐 凡拜相府縣載沙自宮城至其第名沙堤 第宅第也

○樞密類 樞密類掌天子之機務及天下之邊境軍馬之功

本兵 樞密本兵 西樞 洪樞 熙寧三年 熙寧宋神宗年號 詔曰國家以西樞內輔翊 音亦 贊本兵 樞密院在西。故曰西樞。翊。輔翊也。贊。相也。本兵執兵權之本也。夫以樞密院官輔翊贊相而執兵權之本也 任為重矣 掌天子之機。執兵權之本任大責重矣

元祐中 哲宗年號 趙瞻拜同知樞密院事。敕贊一人之休必資耆德 一人天子也。休休美也。耆德。年高有德之人也。敕賜贊相天子之休美。必資於耆德也 握萬兵之本爰賴舊臣 萬兵之本。惟賴舊臣執之於掌握之中 宜煩故老就翊洪樞 洪大也

宥府 樞密府謂宥府 王禹偁 制宥密之府 宥宏深也 密靜密也

總樞機於萬微 萬微即萬幾也

○參政類

下丞相一等 實錄 參政薛居正拜相制天子政於萬幾 幾微也。萬幾者言其幾事之至多也。蓋禍患之發。藏於細微。而非常人之所睹見。及其著也。則

雖智者不能善政聖人之治天下成謹庬惧制令賢者預叅大政於萬哉下丞相之一
等叅政居丞相之下次一等也
魚頭公（拾遺）（録）魯宗道為參政忠鯁。梗自任去声○鯁骨不
下咽也世謂直臣為骨鯁謂直言雖受如骨之刺鯁於喉也。自任者順礼之士便宜自縱而行所謂
自任時人謂之魚頭公魯字魚為頭蓋以骨鯁目之亦指
其姓也
○中書舍人類
紫微郎（唐）開元初明皇年號改中書省曰紫微省中書省官司王
言及主進御之音樂并司伶官又領舍人者掌署敕行下宣旨勞問中書舍人亦曰
書言故事（卷之九）十
紫微郎（白居易詩）絲綸閣下文章靜絲綸之義詳見第一卷人
君類絲綸之下鐘鼓樓中刻漏長。獨坐黄昏誰是伴。紫薇
花對紫微郎紫薇花。今羊矢紫花也（格物論）紫薇俗名伯梓花樹身光滑高丈餘。花瓣
紫皺微附萼赤莖葉相對。四五月開。接續至六七月者中推此花。取其耐久。爛熳可愛
五花判事（職林）（唐）故事中書有軍國正事。則中書舍
人各執所見雜書其名謂之五花判事
○御史類御史掌邦國都鄙。及萬民之治令以以贊冢宰。○執憲準繩之司所以提振紀綱
端肅内外（釋注）準為平繩為直
三院御史臺有三院（唐百官志）御史臺一曰臺院。侍御

【三院】御史臺有三院（唐百官志）御史一曰臺院侍御[illegible]

（[illegible]）○掌[illegible]國[illegible]以[illegible]令[illegible]

○御史[illegible][illegible]○[illegible]

合各號所見雜書其名諸之互稱判事

【五花判事】[illegible]（唐）故事中書有軍國正書則中書舍

[illegible]凡有[illegible]中[illegible]取[illegible][illegible]（[illegible]）[illegible]

[illegible]紫微[illegible][illegible]下[illegible][illegible]中[illegible]

紫微郎（白居易詩）紫微[illegible]下丈[illegible][illegible]入[illegible]

書言故事

[illegible]舍人[illegible]八 卷之九 十

【紫微郎】（唐）開元初改中書省曰紫微省[illegible]中書舍人亦曰

○中書舍人稱

其[illegible]也

[illegible]入[illegible]人[illegible]頭[illegible]以[illegible]自之亦指

[illegible]

【閣老】給[illegible]（[illegible]）[illegible]宗[illegible][illegible][illegible]

等[illegible]

[illegible]

史隷焉〔隷屬也〕二曰殿中侍御史隷焉。三曰察院，監察御史隷焉

【烏府烏臺栢臺】(漢)朱博為御史大夫〔御史大夫，秦官也。漢因之，内承風化，外任綂理，才茂行潔，達於從政〕府中列栢樹，常有野烏數千棲其上。朝去暮集。名朝夕烏。因名烏臺。又名烏府

【憲府】(唐)龍朔二年〔龍朔，高宗年號〕改御史臺曰憲臺。(杜)哭長孫侍御〔長孫，覆姓〕憲府舊乘驄〔馬青白色曰驄。哀憐其死，言其舊日曾為御史於憲府而乘驄馬也〕漢桓典為侍御史，乘驄馬，京師語〔京師之人相與語〕行行且止，避驄馬御史

【白簡】寫彈劾〔音黑〕文於白簡。(晉)傅玄為御史中丞〔丞，故二千石，執憲中司，掌簡臺，督諸州刺史，糾察百僚〕每有劾奏，或值〔音治〕日暮〔值日暮之際，暫不得進奏〕捧白簡整簪帶竦〔松上聲〕誦不寐〔竦，恭也〕坐以待旦。貴遊懾〔占入聲〕服〔懾，怯也。畏服也〕。臺閣風生〔風生，擾動也。臺閣之官畏其劾奏而擾動不安〕(南史)壬昉〔房上聲〕浣約為中丞。彈文皆曰。奉白簡以聞〔聞，謂奏簡奏聞於天子。使天子聞之〕

○兩制類

【事實】(宋)翰林學士謂之内制〔學士院在樞密宣徽院之北。表其深嚴宥密，編綠國朝以來所撰制誥文字，故謂之内制〕中書舍人知制誥謂之外制

掌軍國之正令。緝熙帝載。統和天人。入則告之。出則奉之。以釐萬邦。以度百揆以佐天子。而執大政者也。故謂之外制其後并雜學士待制通謂之兩制

翰林（沈存中筆談）翰林院在禁中。乃人主燕居之所燕居。閑暇無事之時玉堂。承明金鑾皆在焉。應供奉人自學士以下工伎皆隸籍其間隸屬也皆稱翰林

玉堂（宋）蘇易簡為學士。太宗以玉堂之設虛傳其號。乃於紅綃上御書飛帛四字。曰玉堂之署。以賜本院掛於玉堂之上。方知貴矣帛亦作白。飛白之義詳見後第十一卷字學類八躰書之下

金鑾坡蘇易簡續翰林志（唐）德宗移學士院於金鑾坡上

秘書（筆談）後漢藏去声書於東觀去声在禁中藏物所畜也。老子為周守藏史又為柱下史掌典籍言四方所記文書皆歸東觀經籍多也至桓帝時始秘書監中圖書秘記謂之秘書

秘閣淳化三年秘閣成李至乞賜新額（宋）太宗御書飛帛飛帛已見前玉堂之下書秘閣二字以賜李至

策府穆天子周穆王傳曰。天子西登崑崙見西王母崑崙山名也王母所居穆王得八駿馬造父善御故得見西王母八駿曰絕地曰翻羽曰奔宵曰超景。曰

見西王母乃戲曰此西王母曰今臣曰誥曰小名也王母所遣諸言漢武帝詔之

策府 穆天子（周穆王）傳曰。天子西登崑崙見西王母（論語）

飛帛 （工飛帛 堂又下）已而書秘閣二字以賜李至

秘閣 淳化三年秘閣成李至乞賜新額（宋）太宗御書

秘之書監中圖書秘記謂之秘書

方府記文書閣歸東觀諸名也至桓帝時始周官藏史又誥任下史掌典籍言四也於中書

校書（筆談）漢藏古書於東觀古在林中於蓬萊書

坡上

金鑾坡 蘇易簡續翰林志（唐）德宗移學士院於金鑾

書之下續入翰

院掛於玉堂之上方紹口賞美詳見漢翰十卷中學帝京在白飛白之義

乃於紅綃上書飛帛四字。曰玉堂之署。以賜本

玉堂（宋）蘇易簡爲學士。太宗以玉堂之設。虛傳其議

士以下上後召諸其間也爲翰林

興漢章之閣殿。玉堂。承明金鑾在殿。應候奉入自學

翰林（沈存中筆談）翰林院在禁中。乃人主燕居之所

之芳外也其後雜學士待詔通謂之畫

則掌画之上令內以度帝數以明天下而大之政出

踰輝。曰趍光。曰騰霧曰掛翼癸巳至于群玉之山穆王起庚辰癸巳。乃十四年也。玉山。西王母所居者先王之所謂策府言往古帝王以為藏書策之府。所謂藏書策之山名也。故秘書省謂之策府

蘭臺 唐龍朔中龍朔高宗年號改秘書省生上声曰蘭臺武后垂拱中。又改·曰麟臺

芸閣 藏書以芸草辟音必蠹音妬。蠹蛀書蟲也李季蘭寄韓校書詩不知芸閣史。寂寞意何如

東壁 晉天文志東壁二星主文章。天下圖書之秘府也

○卿監類

稼卿 司農曰稼卿穡臣五代史志五代梁唐晉漢周也初秦置治粟內史以韓信為之掌穀貨漢曰大司農掌九穀六畜之供膳羞者。凡郡國諸倉農監都水六十五官皆屬焉○通典云屬官有大倉均輸平準都內籍田五令丞○後漢掌諸錢穀金帛。及諸貨幣郡國四時上月日見錢穀簿邊郡諸官請調度者皆為給報損多益寡取相給足郡国監官鉄官並屬歷代皆有梁曰司農卿梁置十二卿以署為寺官為春卿隋唐因之。龍朔中。改為司稼龍朔高宗年號張華本農箴穡臣司農敢告左右

奉常 禮官曰奉常大常百官表云奉常秦官掌宗廟

【奉常】禮官曰奉常，大常。（百官表云）奉常，秦官，掌宗廟禮儀。匡司農載晉左右。

【隋】【唐】因之。龍朔中，改爲司稼（宗龍朔年改爲司稼寺卿）。【宋】曰司農（元豐改官制，治粟内史爲大司農，掌穀貨）。【漢】華本農處。

治粟内史（以穀貨掌）。漢曰大司農（漢承秦置，治粟内史掌錢穀，景帝更名大農令，武帝更名大司農）。

【稼卿】司農曰稼卿。【隋】【唐】五代史志（五代周置）。

○卿監譜

【東壁】晉天文志：東壁二星主文章，天下圖書之秘府。

詩：不知芸閣吏，寂寞竟何如。

【芸閣】藏書以芸草辟蠹（芸香草也，辟音璧，蠹音妬）。○【李】李蘭宗詳校書於中，又改曰麟臺。

【蘭臺】【唐】龍朔中（宗龍朔年間）改秘書省曰蘭臺（漢藏書處謂之蘭臺）。

王子年拾遺記：穆王至群玉之山，先王之所謂策府。

穆天子傳曰：天子升于群玉之山。

禮儀（前漢）景帝中。更名大常。師古曰奉常王者之旌旗禮官奉持之。故曰奉常大常。王者旌旗也。畫日月有大事。則建以行礼官奉持之。故曰奉常後改為大常。尊大之義也○唐制藏大享之祭服。有四院。一曰天府院。藏瑞應及伐國所藏之寶禘祫則陳于闕庭。二曰御依院藏天子祭服。三曰樂懸院。藏六樂之器。四曰神廚院藏御廪及諸器（釋注）禘音帝。王者之大祭也。祫開入声合祭也

○郎官類

上應列宿音秀星也（後漢）館陶公主為子求郎館陶国在漢州。公主光武女也。郎縣令也明帝不許。曰郎官上應列宿應列宿。大微垣後二十五星為郎位出宰百里百里縣也苟非其人民受其殃殃。禍害也。言苟非有德之人為令。民必受其害竟不許

含香奏事尚書郎奏事明光殿尚書郎唐尚書。每部各有郎官負數多少不一。又置員外郎○明光殿。漢未央宮。北有桂宮。中有明光殿。金玉珠璣為簾多明月珠金所生玉揩晝夜光明。故曰光明殿口含雞舌香以其奏對芬芳也雞舌香。酉陽雜俎二木四香根曰旃檀節曰沉香花曰雞香膝曰薰陸

○史官類天子元端而居。言則左史書之。動則右史書之○古之王者。世有史官。君舉祕書所以謹言行昭法式也。左史記言。右史記事○古者天子諸侯有事必告于廟〃有二史。左史記言。右史記事。〃〃為春秋。言為尚書君舉必書善惡成敗無不存焉

起居注（晉志）起居郎曰左史。起居舍人曰右史。所書

書法 晉志經籍所曰古史左存合入口治史所書

尚書左史記言書事不春秋。言動右史記事。書左之史。法行諸侯之言行。事也。

○**史官類** 史天子諸侯之言。○漢武帝太史令司馬遷。

日記注錄曰起居注。明日本起居注。合香。

含香奏事 合含雞舌香以其奏對答也。雞舌香出外國。漢尚書郎奏事明光殿。爲尚書郎含香伏奏。

代言之臣其有詔書不入。言敕書。

爲郎主星。百里。若非其人則受其殃。爲諸侯明帝不許。曰郎官上應列宿。

上直列宿 光武曰郎官上應列宿。出宰百里。

○郎官類

王者祭天之大祭也。祫祭合祭之。

神禮神。祭天地。宗廟祭大祭。祫祭。

禮儀。奉常掌宗廟禮儀。太常。

禮儀（周禮）。景帝中更名太常。古曰奉常王者之。

言動。皆曰起居注

濡筆螭丑之切〈螭頭〉〈唐制〉天子御正殿。起居郎居左。舍人居右。俯陛以聽俯陛俯伏階下退而書之。季終以授史官季者春夏秋冬為四季。季終、三箇月也。滿三月之事。則授史官而録記之若伏在紫宸唐制殿下兵衛曰伏。分為五伏。每月以四十六人而內廊閣外號曰內伏。天子出、則有細伏黃麾伏。朝罷放伏紫宸朝廷前殿也則夾香案分立殿下直第二螭首螭似蛇無角如龍而黃御前階所鑄螭蓋之言天子隊伏若在紫宸殿。則起居郎舍人夾立於殿下第二螭首之側和墨濡筆。皆即坳烏交切處時號螭頭濡者。霑濡潤澤也。即。就也。坳。不平處也。二人就螭頭不平之處。而濡筆和墨。以待寫記朝建之事、

起居郎舍人掌記天子言。動御正殿。則侯於門廡之外便殿則侍立行幸所從大朝會則對立於殿下。螭首之側。凡朝廷命令。赦宥礼樂法度。損益因革賞罰勸懲群臣進對文武臣除授。及祭祀燕享臨幸引見之事。四時氣候。四方符瑞戶口增減州縣廢置皆書以授著作郎

○諫官類諫者以礼義正之掌諫王惡

諫垣為諫官曰居諫垣〈舊唐制〉諫官元稹傳既居諫垣不欲碌碌自滯言既為諫官。君有過則當直言極諫不欲碌碌而畱滯〈宋〉韓琦音奇為諫官三年。集所存諫章七十餘章為三卷。曰諫垣藁

補闕左右補闕古無其官詩云袞職有闕仲山甫補之。蓋取此義〈拾遺〉古無其官漢汲黯愿

為中郎署長出入禁闥補過拾遺〇諫官朝夕耳目天子行事即一切是非無不可言者

（司諫）（正言）（唐制）左補闕六人右拾遺六人。右補闕六人。左拾遺六人。掌諷諫大事。則廷諍（廷論對天子面言）小事則上封事（如奏疏而實封以上）（宋）雍熙四年（雍熙。大宗年號）改補闕為左右。司諫拾遺為左右正言

〇學官類

學省（生上声）大學亦曰學省歸崇敬（唐德宗時人。授國子司業）言天子學亦曰學省

司成 國子監亦曰司成（百官志）唐貞觀中（貞觀宗年）大改

國子學為國子監後又改為司成館垂拱中（垂拱武后年號）改為成均。祭酒一人。司業一人（祭酒為大師氏司業為祭酒之貳）

祭酒（漢官儀）禮飲酒必祭先（祭先。祭始為酒之人）示有先也故稱祭酒時惟尊長以酒沃酹（雷去声。沃酹以酒祭地）

國子師國子先生（梁書）王承好儒業轉國子祭酒承祖與父皆嘗為此職。三世為國子師。韓愈進學解國子先生。晨入大學（詳見前第三卷師儒類立館下之下）

〇百官類

遵羽鵷鷺鵷行

鷺愁去声。行音杭。百官班列曰鵷行。唐韋絢傳上官覆姓儀曰。御史供奉赤墀。接武夔隆上官儀位，宰相時以雍州司士。宣絢為殿中侍御史。故曰為御史供奉赤墀向接武夔隆，豈雍州司户比乎。武，足迹也。夔隆，辞臣名。

金貂蟬

貂音凋。後漢志侍中帶金貂蟬冠。金取堅，蟬取潔。貂取温也。貂，鼠屬。今常言貂鼠是也。○侍中常侍冠以黃金為璫，附蟬為文，貂尾為飾。璫，充耳。說文：耳珠也。金取堅剛，百鍊不耗；貂取内勁悍而外温潤；蟬取居高食潔。本趙武靈王胡服之制，秦破趙，得其冠以賜侍中。

金璫

見上節。後漢輿服志中常侍冠加黃金璫貂尾飾。

縉紳薦紳

縉音晋，本作搢。漢郊服志云句其詔不經見不見於經書。縉紳者弗道搢，插也。紳，帶也。謂插笏於大帶革帶之間。五帝記薦紳先生難言之言不載於经書者。盖為無所從則薦紳先生難於言。故曰搢紳者弗道。薦紳。尤謂薦笏於紳帶間也尤，多也。謂多有人言帶笏於紳帶之間也。

○府尹類

京尹

京都府主曰京尹。府尹。大尹。通典凡帝王所都皆曰尹尹，正也。下同。漢唐為京兆，皆曰京兆尹。宋朝知開封府者曰開封尹。臨安府者曰臨安尹臨安尹即杭州。宋高宗駐蹕，陞為臨安府。

晋守 守舊京者曰晋守〔唐制〕車駕不在京則置晋守〔唐〕李晦為西京晋守裴度晋守東都〔宋朝〕紹興八年（紹興高宗年號）召呂頤浩付以建康（建康今南京是也。又曰金陵）知建康者曰建康晋守

○監司類

帥使（並去声）諸路安撫曰帥使（今改路為府）〔帥座〕〔帥臺〕安撫掌一道兵權故曰帥（又謂之安撫使）

宅牧 賀受親民職自天宅牧。堯舜置州牧。周公作立政曰宅乃牧（宅。居也。牧。牧民也）

漕使（音造事）轉運曰漕使（漕水運也）〔都運〕〔漕臺〕運使主漕使米粮故曰漕〔唐〕韋堅玄宗擢為陝郡太守水陸運使堅於滻水鑿為渠以通漕運（滻水在京兆）

經略制置總領提點 二廣經略稱元帥（二廣。廣東廣西也。經略經略使也。沿邊大將皆兼經略安撫州郡。而服羌夷也）四川制置曰制使。總領曰餉（常去声）臺主軍粮也。提點坑治。則曰泉。使主鑄錢（泉錢也）

○郡守類

刺史 刺（音次）〔唐志〕武德中改太守曰刺史（武德。高祖年號）天寶

刺史 注刺舍（唐志）武德中改太守曰刺史。注武德高祖年號 天寶

○郡守稱

旌 也泉 鎮

曰節帥 注常 臺主軍權也。擬黜陟治則曰泉。使主鑄

四川制置曰制使 注帥常 撫也 大將兼

經略制置總領提點 二廣經略稱元帥。二廣東廣

使竪於淮水鑒為淮以通漕運。京漕 淮水 在

未稅故曰漕。（唐）韋堅玄宗權為陝郡太守水陸運

漕使 事言 轉運曰漕使 運漕也 水（節運）（漕臺）運使主漕使

書言故事 卷之九 十八

故曰宅乃牧 牧宅也。牧

宅牧 貫交觀乃職自天宅牧。舜置州牧。周公作之

掌一道兵權故曰帥 天子謂之 使之

帥使 注 故諸路安撫曰帥使 注今路（帥運）（帥臺）安撫

○監司稱

連帥 廉者曰連廉帥守

年 宋 紹興 諸路 以連廉也。連廉 入曰全 陵 知

（唐）李晦為西京留守。東都（宋朝）紹興八

留守 守書京 各曰留守（唐制）東都不在京則置留守

中又改刺史曰太守天寶明皇年號○今人改太守為知府

二千石 太守禄秩二千石。漢宣帝曰。庶民所以安其田里而亡無同勤息愁恨之聲者。政平訟理也。與我共此者其惟良二千石乎良。賢也。二千石見下節

五馬 常稱太守曰五馬。詩話禮。天子六馬。左右驂音參○驂、馬也三公九卿駟馬左驂太師太傅太保為三公。九卿已見前第四卷商賈類為鬼所笑之下。車一乘本四馬駕之。左邊更加一馬謂之左驂。右亦然謂之右驂漢制九卿則二千石以右驂。太守駟馬而已。其有加秩中去声二千石者乃右驂治行有異迹中滿也漢制秩二千石。每年一千

四百四十石。不滿二千石。中二千石。一歲一千一百六十石。卒成數言之。故曰中二千石也宣帝紀黃霸以治行尤異秩中二千石○霸為潁川太守以治行為天下第一故以五馬為太守美稱

通齋閑覽學林云 漢時朝臣出使以駟馬為太守增一馬。故為五馬。羅敷陌上桑行使君從南来。五馬立踟躕。崔豹古今注曰羅敷者邯鄲秦氏女也。嫁王仁。仁後為趙王家令。羅敷採桑於陌上。趙王登臺見而悅之。置酒欲奪焉。羅敷善彈箏。作陌上桑以自明不從。其辭稱羅敷採桑陌上為使君所邀。云云。乎趙主為使君者。郎君之稱云云。王筠陌上桑云。秋胡始停馬。羅敷未滿匡。盖合於一事也。云云。羅敷行曰。使君從南来、五馬立踟躕。又行曰。使君謝羅敷。還可共載否。羅敷亦致辭。使君亦何愚。使君自有婦。羅敷自有夫晉王羲之守

會（音儈）稽（音基○會稽郡名）庭立五馬。時人榮之

朱轓皂蓋（轓音番）〔漢〕景帝詔令。長吏二千石車朱兩轓（轓車箱名。車之蔽也。景帝下詔長吏吏祿至二千石者其所乘之車。則左右各一朱轓）千石至六百石朱左轓 **續續漢志** 二千皂蓋朱轓

熊軾 〔杜詩註〕漢制刺史車畫熊於軾上（軾車前軾也）

○通判類

監郎 通判曰監郡〔分紀〕御史中丞孫抃言通判古監郡之職。一州利害全籍議論與僚屬不同。乞朝廷選差通判與知州通判一州事

別駕治中長史司馬（秦置郡丞。以佐守左邊為長史掌兵馬。漢因之。又設治中別駕主衆曹文書）

贊治通守 皆通判之稱〔唐六典〕後漢置別駕歷代皆有之〔通典〕從刺史行部別乘一車。故謂別駕〔蜀志〕劉備（蜀先主）仕龐統為治中別駕〔分紀〕〔隋〕文帝改別駕治中為長史司馬煬帝罷之置贊治又治通守〔唐志〕武德中（高祖年號）又改贊治曰治中

郡丞 通判曰郡丞〔分紀〕〔漢〕景帝置郡丞秩六百石（句）武帝改為長史

○幕職類

幕下上客（分紀）晏元獻（即晏殊字同叔）延賓客。一時名士。多出其門爲西京留守（晉守。見前府尹類留守之下）幕下王琪（音其）張亢最爲上客

入幕之賓（晉）郗超爲桓溫叅軍謝安王坦之詣溫溫令超卧帳中聽其言。風動帳開安笑曰郗生可謂入幕之賓矣

幕府（漢衛青征匈奴。大克。拜大將軍於幕中因號幕府。○將軍戰在征行無常處所在爲治曰幕府）（杜甫）送高書記詩十年出幕府。自可持旌麾。（○音揮旌麾。旌旗所以指揮也○詳見下武官類）此行既特達。足以慰所思

蓮花地（蓮）幕盛府元僚（南史）王儉以庾杲之爲長史蕭緬與儉書曰。盛府元僚實難其選。庾景行（杲之字）泛綠水依芙蓉。何其麗也。時人以儉府爲蓮花也（戴石屏上蕭節推詩）（推音吹）掇取高科如拾芥（言中高科如拾草芥之易）愛君才調望君深莫誇書判居蓮花地。要把文章入禁林（禁林內禁翰林也言有才不止於蓮幕之職終以文章入於翰林）

郡督郵紀綱院糾司糾職今皆録事叅軍（六帖）州主簿郡督郵（音尤）並今録事叅軍。又云糾司糾職。謂以

糾察為職也（録事之職。揔録衆曹文簿舉彈善惡）

○教授類

郡博士 武德初（武德高宗年號）郡守置經學博士。掌以五經教授（五經易書詩春秋禮記）始有教授之稱〔宋〕元豐（神宗年號）始興三舍於諸大郡府（三舍。上舍中舍下舍）始各置教授一人

〔隋〕潘徽為州博士

廣文 稱教授曰廣文自言曰令官〔唐〕鄭虔為廣文館博士（玄宗開置此館以虔為之）〔杜甫醉時歌〕（杜甫為鄭虔作因沉醉之時。為此歌詩勸破世間之榮辱。不憂身外之功名惟銜盃可以相樂耳）諸公袞袞登臺省

（諸公袞袞相繼登進臺院省府）廣文先生官獨冷（廣文先生乃師儒之冷官。獨自冷淡）甲第紛紛厭梁肉（甲乙次第之屋宅。紛紛其多皆厭飫稻梁肉味）廣文先生飯不足（廣文先生。飯食猶且闕然而不充足○於此下文。言其有道出於羲皇之上。有才過於屈原宋玉云云。言儒官吟淡不須慘愴。生前相會遇且銜酒盃同此遣懷可也）

○縣宰類

百里 常稱縣宰曰百里〔漢〕明帝曰。郎官出宰百里（已見此卷前郎官類上應列宿之下）〔蜀志〕劉備（先主）以龐統為耒（雷去声）陽令（去声）魯肅曰。士元（統字士元）非百里才。使為治中別駕。乃得展其驥（音計）足（驥日走千里之良馬也。言龐統不止於治縣之才。使之為治中

別駕則大才大用。若驥展足日走千里也。卒用統為別駕。此節之義与此卷前通判類贊治之下通看

邑太夫 稱宰曰邑大夫（語八佾篇）鄔人之子 鄔魯邑名。孔子父叔梁紇。嘗為其邑大夫

令尹 謂宰曰令尹（縣君）（語公冶長篇）令尹子文。三仕為令尹。無喜色 令尹。官名。楚上卿。執政者非邑宰因稱縣令故稱之。子文姓鬬名穀於菟。其為人也。喜怒不形（釋注）穀。奴口切。於音烏菟音徒 三已之。無慍色 慍。含怒意雖罷其官。亦不含怒 舊令尹之政。必以告新令尹 此蓋子張問於孔子曰。子文之行如此。可謂仁乎。孔子荅曰。可謂忠矣。蓋忠者。知有其國。而不知有其身。告新令尹者。出於天理。而無人欲之私也

琴堂 稱縣治曰琴堂（呂氏春秋）虙音伏子賤治單音善父音甫彈琴身不下堂而單父治 治者不待作為。而自平所謂治也。○子賤。孔子弟子。孔子問之曰。汝治單父。而民喜悅。汝何為而得民之。喜悅子賤。對曰單父之民賢於己者。五人。予皆敬事之。凡事皆取稟之以為法度。孔子嘆曰。堯舜之治天下。務求賢以自輔。夫賢者百福之宗。神明之主。惜乎子賤之所治者小也。事見家語 巫馬期戴星而出。戴星而入。日夜不拘。以身親之。而單父亦治 此可与前弟四卷送行類戴星之下通看

○縣丞類

判丞 稱縣丞曰判丞（通典）（隋）及（大唐）縣丞各一人（通

判縣事

哦松 常稱縣丞曰哦松藍田 詳見下郎

負丞 作丞自稱負丞某邑（唐）崔斯立為藍田丞始至

喟然 喟音蔚去声大息也 曰丞哉丞哉 重言丞哉自嘆其為縣丞也 余不

負丞。而丞負余。庭有老槐四行 音杭 南墻鉅 音渠上声 竹

千挺 鉅。大也。挺。竿也。 斯立痛掃溉 盡去曰痛掃。水浸灌曰溉。○以槐竹儼立若相

詩水鋮、然看余鳴斯立於是皆盡除之（釋注）鋮立華水裂也 對樹二松 樹栽植也 日

吟哦其間 有問者輒對曰。余方有公事子姑去○出藍田縣丞廳壁記

○主簿類 佐理縣務主掌簿書

仇香 仇音求 常談主簿曰仇香（後漢）仇香名覽陳留

人 考城令 去声 王渙聞覽以德化人 考城今。南京睢州縣覽年四十

為亭長。有陳元母告元不孝。香親到其家為陳人倫感悟卒為孝子 署為主簿 署補也。

渙謂曰主簿得無少 燒上声 鷹 音因 鸇 音氈 之志耶 謂陳元不罰而化之

覽曰。以為鷹鸇不如鸞鳳。渙謝曰枳 音止 棘 音吉

非鸞鳳所棲 枳小木似橘實可為藥。今呼枳殼樹是也。棘。刺也。鳳所不棲 百里

非大賢之路 乃資香入大學常自守不求聞達李原郭泰就房見之起拜床下曰。君泰之師也香學既滿不應徵辟不仕歸卒于家

矮屋　矮(音挨)作簿自言身立矮屋(唐)張豪為華(去声)陰簿(上声)○(華州縣名。西岳華山之北。東南曰陽西北曰陰)為縣令所抑(推也)歎曰。丈夫有淩雲世之志而拘於下位。若立身矮屋之下。使人擡頭不得乃棄去

○縣尉類(尉掌巡捕盜賊及檢覈之事)

梅仙　稱縣尉曰梅仙(仙尉)(西漢)梅福為南昌尉上疏言事不用遂學仙隱變姓名為吳市門卒。不知所終。號曰仙尉

五色棒綵棒　譽作尉綵棒威宣(譽称美之也)曹操年二十舉孝廉為郎除洛陽北部尉(後漢都洛陽輦轂之下。地廣事繁故有南部尉北部尉)入尉解(去声)繕(音善)治四門(解。公宇也　繕補修也)造五色棒懸門左右。犯禁者。不避豪強。皆棒殺之。京師歛迹(出本傳)

金灘鸂鶒(音溪勅)(唐)河南伊闕縣前有大溪。每僚佐有入臺省者。先有灘出。石礫(音立)金沙澄徹可愛(礫。小石也)牛僧孺為尉。一日報灘出。邑僚列筵觀之老吏曰。此必分司御史。若是西臺當有雙鸂鶒立(鸂鶒五色尾有毛如船柁小於鴨)僧孺祝曰。既能有灘。何惜鸂鶒宴未竟

一雙飛下。不旬日召拜西臺御史（出唐康駢劇談錄）

○武官類

元帥 大将（去声）称元帥（左）（僖公二十七年）楚子及諸侯圍宋（陳蔡鄭許）宋公孫固如晉告急（即大司馬固莊公孫）於是乎蒐（音搜）子被廬（被廬晉邑蒐治兵也）作三軍（閔公元年。晉獻公作三軍。今始復大國三軍之禮）謀元帥（咨謀于衆。以誰可當中軍大帥之任）趙衰（音崔）曰（趙衰建議）郤（音乞）縠（胡木反）可。（舉郤縠。可為元帥）乃使郤縠將中軍。（文公從趙衰之言使郤縠為中軍帥）

閫外（閫音坤上声）将（去声）帥權分閫外（閫門檻也）（漢）馮唐曰王者遣將跪而推轂（跪。拜也。拜將而推轂）曰閫以內寡人制之閫以外将軍制之軍功爵賞皆决於外（軍中功勞爵祿賞賜皆將軍決之於外）

麾下戲下（麾戲。具音揮皆旌旗也）称呼将帥曰麾下（麾謂此旗一麾三軍畫隨其轉）（高祖紀）諸侯罷戲下名就國（高祖言天下已定諸將皆罷旌旗各就所封之國土。○古之功臣封國士今之功臣封官爵）旌麾也亦讀曰麾（戲本大將之旗）帥古曰戲諸軍之

轅門 **穀梁傳** 昭公八年蒐于紅以習用武事（蒐治兵也紅魯地）置旃（音占）以為轅門（旃周禮通帛為旃通帛謂大赤從周正色○（爾雅）因章為旃）

旃郭璞曰以帛為旃因其文章不復畫也轅軍行以車為陣相向為門故曰轅門

玉帳 将(去声)幕曰玉帳(杜詩)将軍玉帳軒勇氣玉帳分弓射虜營

蟠花袍青箱雜記 曹武毅公翰(曹翰謚武毅公)江南歸環衛數年不調(執金吾一日環衛環遶衛捍也(釋注)古今注金吾車軸棒也漢執金吾亦棒也以銅為之金塗兩末謂之金吾御史大夫司隷校尉亦得執焉郡守縣長列皆以木為吾用以乘車形如車軸)一日内宴侍臣皆賦詩翰不預乃陳乞應詔太宗曰卿武人以刀字為韻因以託意曰(因以刀托言不調之意云)三十年前學六韜(音滔○六韜詳見下)英名常得與(音喻)

時髦曾因國難披金甲不為。家。貧賣寶刀臂健尚嫌弓力軟(健舊作弱非非、翰言吾雖老臂尚健而有力)眼明猶識陣雲高(明舊作昏亦非言其眼猶明而識陣雲之高陣雲風雲之陣也)庭前昨夜西風起羞見蟠花舊戰袍(蟠花袍上綉蟠花也○蟠亦作團謂綉成花朶團々於袍上於義亦通)太宗為(去声)遷數官

七書六韜三略 武人所學七書者乃孫子(孫子名武齊人書十三篇)**吳子**(未詳)**司馬法**(田穰苴為齊大司馬威王使大夫追論古者司馬兵法而附穰苴於其中號司馬穰苴兵法)(唐)太宗李衛公問答(李衛公名靖為太宗功臣)**尉繚子**(趙人為始皇謀將著書)(黄石公三略)(見下文)**六韜**

太公姓姜遇文王佐武王滅紂六韜詳下文總一百一十四篇國子司業朱服校定七書為一書魏武帝註三畧者上畧。中畧下畧六韜者。文韜武韜龍韜虎韜豹韜犬韜是也韜者冒藏謀畧也行軍或以文或以武龍虎豹犬列陣之勢也龍者能變化虎豹勇也犬識進退也

冑中甲兵 **宋** 范仲淹領延安延安古延州閱兵選將去声下同日夕訓練日夕猶言日夜刻練教訓軍士操練偃習戰鬪之事又戒諸將養兵蓄銳毋音無輕動夏人聞之相戒曰夏人西夏趙德明父子據夏州聞仲淹練習銳兵故相戒而不敢犯云毋以延州為意。今小范老子冑中自有數萬甲兵不比大范老子可欺也大范。、雍也先為延安帥不時被夏人侵敗也戎人呼知州為老子

露布 戰捷有露布 **隋志** 後魏每功戰克勝欲天下聞知。乃書帛建于漆竿之上。名為露布 **晉** 桓温征伐須露布文喚袁宏宏倚馬濡染不輟筆而成輟止也筆不停止而竟成文 **文心雕龍** 書名宋南陽劉勰著(釋注)勰音歇 露版不封布諸觀聽

取蝥弧 音矛胡 (左) 隱公十一年 鄭伯伐許鄭伯莊公也。是歲秋隱公會齊侯鄭伯三國共伐許 潁考叔鄭伯之旗蝥弧以先登潁考叔為潁谷典封

彊之人取鄭莊公之旗名蝥弧者率先鄭兵以登許國之城遂入許〻莊公奔衛○此可与前弟三卷儒李類餬口之下通看

立赤幟 音治○幟旗也漢以赤幟為號 韓信攻趙 漢高祖遣韓信領兵三萬攻趙聚井陉口陉音形 (釋注)選軽騎 去声 二千人人各持一赤幟 令軽騎各持赤幟從間道望趙軍 戒曰 信戒軽騎而言曰 趙見我走必空壁逐我 壁營疊也 若 汝也 疾入趙壁拔趙幟立漢赤幟 信使萬人先背水列陣平旦建大将旗鼓行出井陘口趙開壁擊之戰良久信佯敗走投水上趙軍果空壁逐之水上軍殊死戰趙軍歸壁見赤幟大驚遂亂遁走虜趙王歇

取金印 **晉** 周顗 宜上声 字伯仁云今歲殺奴 賊奴指王敦也 取

金印如斗大繫肘後 此可與前第六卷德量類無物之下通看

将副都監巡檢監鎮監務 稱呼將副曰將使將領都監曰都護觀察巡檢曰都巡防禦又常談曰戎 以其管士軍也 監鎮曰判鎮監務曰判務又常談曰征 以其主征稅也

○盜類

穿窬 音余 被盜云有穿窬之患(語) 陽貨篇 子曰譬諸小人 小人細民也 其猶穿窬之盜也與 音余○穿。穿壁、窬墻言小人穿壁。窬墻以盜財物 (孟子曰)人能充無穿窬之心。而義不可勝用

矣勝音升

梁上君子 目盜爲梁上君子(漢)陳寔字仲弓。夜有盜入室。止梁上。寔陰見陰私自也起呼子孫訓之曰。夫音扶人不善。未必本惡。習以性成。遂至於此。梁上君子是也。盜投地歸罪。寔譬之宜克己音紀反善。遺絹二匹。自是一縣無盜

○獄訟類

雀角鼠牙 言人遭訟。有雀角鼠牙之撓(詩)行露篇名誰謂雀無角叶音祿何以穿我屋。誰謂汝無家叶音谷何以速我獄家謂以謀聘求爲室家之禮也。速。召至也。貞女之自守如此。然猶或見訟而召至於獄。因自訴而言人皆謂雀有角故能穿我屋以興。人皆謂汝於我嘗有求爲室家之礼。故能致我於獄。然不知汝雖能致我於獄而求爲室家之礼初未嘗備如雀雖有穿屋而實未嘗有角也

誰謂鼠無牙叶音紅何以穿我墉音庸誰謂汝無家叶音工何以速我訟叶音松。○牙。牡齒也。墉。墻也。言汝雖能致我於訟。然其爲室家之礼有所不足。則我身終不汝從也。○標云云當時强暴之男有欲强昏貞女者。女不從而興訟。乃貞女在獄。而責强暴之男云耳【釋注】牝嘉也

囹圄 音聆語言人在獄曰在囹圄中(風俗通)漢應邵著夏曰夏臺。商曰羑音有里。周曰囹圄(尔雅釋名)囹。領也。圄

禦也。領録囚徒禁禦也

狴犴岸獄 狴音皮去声犴音岸 狴犴獄也。犴胡地犬也野犬也。所以守故謂獄為犴（楊子）吾子篇 劍客論曰劍可以愛身 吳秘曰擊劍之客謂劍之利可以防愛身也 曰 揚子云 狴犴使人多禮乎 宋咸曰狴犴牢獄也、劍客之論謂劍可以衛身揚子以君子之衛身當由夫道。故對之以為若使之擊劍可衛身則圄圄之牢有三木之威以因者多恭。豈使人多礼乎言不能也蓋特沮劍客之術

（毛詩）宜岸宜獄 詩作此岸字

健訟 言人好訟曰健訟（易）訟卦 訟卦名天水訟也 ☰上剛下險險而健訟 程子曰。訟之為卦。上剛下險。〻而又健也。又為險健相接。內險外健。皆所以為訟也。若健而不險不生訟也。險而不健。不能訟也。險而又健。是以訟也

嚚訟 嚚音銀（書）堯典 此篇以簡冊載堯帝之事故曰堯典 帝曰吁嚚訟可乎 吁者嘆其不然之辭嚚謂口不道忠信之言。訟爭辯也○此蓋堯言誰為我訪問能順時為治之人而登用之乎。堯之臣放齊言堯子丹朱其性開明可登用也。於是堯嘆其不然。深知其子之悪而不以人病天下也。蓋謂其治天下，而起民之訟。竟讓位於舜矣

縲絏 縲刀追反絏息列反 言人被索曰在縲絏之中（論語）公冶長篇 子謂公冶長可妻去声下同也孔冶長。孔子弟子。妻。為之妻也 雖在縲絏之中。非其罪也以其子妻之 縲。黑索也。絏。攣也。古者獄中以黑索拘攣罪人。孔子言其人。雖嘗陷於縲絏之中。而非其罪。則固無害於可妻也○此蓋季康子弑嫡子

連及公治長祈以非其罪竟而得免

肉鼓吹去声　國史補李肇著　李匡遠性急一日不断端去声刑則慘然不樂音洛嘗聞搥追上声撻之聲曰此一部肉鼓吹匡遠壽八十二後盜發其墓分其四肢

書言故事大全卷之九終